La banda della III C

www.battelloavapore.it

I Edizione 2009

© 2009 - EDIZIONI PIEMME Spa
        20145 Milano - Via Tiziano, 32
        www.edizpiemme.it - info@edizpiemme.it

Stampa: Mondadori Printing S.p.A. - Stabilimento NSM - Cles (TN)

Lia Levi

La banda della III C

Illustrazioni di
Barbara Bongini

PIEMME

1
Perché una "banda"

L'IDEA di mettere su una "banda" era venuta a Vincenzo. Il motivo era davvero buono, anzi, quasi nobile, di quelli insomma che ti fanno fare bella figura, ma... La verità è che sotto sotto si nascondeva una ragione che invece non era per niente nobile.

A Vincenzo piaceva tantissimo Viola. Gli piaceva da morire.

Quando Viola camminava per il corridoio della scuola gli sembrava che lasciasse dietro di sé una scia di luce, e per questo lui si sentiva trascinato e quasi obbligato a seguire quel sentiero luminoso.

Mirko rideva. «Che fai?» diceva. «Corri sempre dietro a quella là!»

Ma Mirko non sapeva del sentiero luminoso.

Il fatto è però che Viola piaceva anche a Mirko, e l'altro fatto è che Mirko era il migliore amico di Vincenzo.

E perciò Vincenzo non sapeva proprio cosa fare.

Quando i due amici si vedevano, la mattina a scuola o il pomeriggio per fare i compiti o giocare, e c'era anche Viola, ognuno passava il tempo a spiare l'altro. Volevano essere sicuri che nessuno dei due avesse la meglio nell'attirare l'attenzione di Viola.

Una volta Vincenzo ci aveva provato. Si era avvicinato a Viola e le aveva chiesto: «Ti hanno chiamato Viola perché hai gli occhi viola?» e la sua amica si era quasi confusa.

«Io non ho gli occhi viola!» aveva mormorato. «I miei occhi sono di un azzurro normalissimo.»

Ma Vincenzo aveva insistito: «Un azzurro così forte è come se fosse viola»

e lei era arrossita perché aveva capito che quello voleva essere un grande complimento.

«Ecco la ragione per cui vai così male in disegno!» aveva gridato Mirko con un po' di rabbia. «Non sai nemmeno riconoscere i colori!»

Ma Viola non era stata per niente contenta,

perché Mirko aveva fatto in pezzi il complimento di Vincenzo che le era tanto piaciuto.

Insomma, così non si poteva continuare.

Mica era possibile passare la vita a spiarsi e a essere gelosi, temendo che uno dei due magari potesse incontrare Viola senza che l'altro lo sapesse!

Era meglio, molto meglio sapere che si sarebbero visti sempre tutti e tre insieme. Senza ingiustizie né gelosie.

Vincenzo ci aveva pensato su giorni e giorni, e alla fine aveva tirato fuori la sua proposta: «Perché noi tre non facciamo una banda?».

Viola era rimasta un momento incerta: «Ma le bande non sono quelle che fanno cose cattive, tipo rubare o saltare la scuola?».

«No, no» aveva assicurato Vincenzo. «Esistono anche le bande dei "buoni"» e Mirko si era dichiarato subito d'accordo.

«E come la chiameremmo questa "banda dei buoni"?» aveva chiesto

Viola, che ancora non era troppo convinta.

Mah... Era un po' difficile farsi venire un'altra idea, di quelle che fanno scintille, e perciò Mirko aveva suggerito: «Chiamiamola "la banda della III C"».

La "terza" era la classe elementare che frequentavano tutti e tre alla "Ferruccio Parri". Più semplice di così! Si poteva accettare senza problemi.

La III C, tra l'altro, non era affatto male. La dirigente certe volte arrivava a dire: «Gli alunni della III C sono quelli che si comportano meglio di tutta la scuola». Ma forse perché, nei tempi antichi, quando era piccola, anche la dirigente aveva frequentato una III C...

Così, la "banda" era stata formata e "battezzata". Ora bisognava darle uno scopo, un compito, insomma trovare qualcosa da farle fare.

E infatti Viola aveva subito chiesto: «Che cosa ci facciamo con questa banda?».

Ma questa volta Vincenzo l'idea ce l'aveva da prima, eccome se ce l'aveva! Era tanto che ci pensava.

«Salveremo i vecchietti!» aveva gridato, e Mirko l'aveva guardato con gli occhi spalancati per la meraviglia.

Che il suo amico fosse diventato di colpo un po' matto?

2
Salvare i vecchietti?

– E PERCHÉ dovremmo salvare i vecchietti? – lo canzonò Mirko. – Forse stanno tutti affogando in un fiume?

– Non dire cavolate! – rispose seccato Vincenzo, e diede un'occhiata dalla parte di Viola per capire se anche lei aveva intenzione di prenderlo in giro.

Ma Viola se ne stava lì tranquilla ad ascoltare soltanto. E così Vincenzo si sentì più forte.

– Non sei stato proprio tu, Mirko, a raccontarmi quello che è capitato ai tuoi nonni poco dopo Natale?

– Beh, sì – ammise Mirko. – Sono stati truffati… insomma, gli hanno portato via i soldi della pensione e altre cose. Ma questo è già successo, mica possiamo tornare indietro con la macchina del tempo!

Di quello che era capitato ai nonni di Mirko Viola non aveva mai saputo niente, e si capiva benissimo che ora aveva proprio voglia di sentirlo raccontare.

Vincenzo non aspettava altro. Quella storia doveva essere un "esempio", anzi, il "manifesto" della banda della III C.

Mirko invece non era affatto contento che il suo amico la tirasse fuori dopo tanto tempo. Anche perché i suoi nonni, passato lo spavento, si erano molto vergognati per essersi dimostrati così ingenui e creduloni.

– Ma insomma, – cercò di spiegare Mirko – i miei nonni sono ancora persone in gamba, mica di quelle che si possono prendere in giro tanto facilmente. Mio nonno, che vi credete?, è stato controllore sui treni e non c'era nessuno che viaggiasse senza

12

biglietto, tanta era la paura che incuteva!

Vincenzo la storia del nonno controllore la sapeva già, perché l'aveva sentita ripetere tantissime volte. – Ma così è ancora peggio! – gridò. – Vuol dire che gli imbroglioni riescono a ingannare anche la gente sveglia. E poi con i vecchi è un po' più facile...

A quel punto, Viola intervenne, tirando fuori la sua aria da prima della classe. – Non devi dire "vecchi", bisogna chiamarli "anziani" – dichiarò tutta seria.

– E perché? –. Vincenzo aveva solo voglia di continuare la storia e non ne poteva più di tutte quelle interruzioni.

Ma Viola non aveva nessuna intenzione di lasciar perdere. – Perché chiamarli "vecchi" è *maleducazione*... insomma, non è gentile... "anziani" è molto meglio.

– Se li chiamiamo "anziani" gli leviamo un po' di anni? – provò a scherzare Vincenzo, e Viola fece subito la faccia offesa.

Poi, finalmente, si calmarono tutti e Vincenzo riuscì a raccontarla, quella famosa storia del "dopo Natale".

I nonni di Mirko avevano appena ritirato la pensione all'ufficio postale, quando erano stati avvicinati da due ragazze molto gentili e ben vestite, che sembrava proprio li conoscessero. Li avevano salutati, quasi abbracciati, gli avevano parlato dei loro figli e nipoti, e poi avevano anche chiacchierato d'altro (per esempio, del negozio di alimentari che aveva chiuso all'improvviso e perciò, adesso, bisognava andare più lontano a comprare le cose da mangiare).

Sembrava proprio che quelle due ragazze così gentili sapessero tutto di loro e del quartiere.

Dopo, avevano preso dalle mani dei nonni di Mirko le borse della spesa dicendo con un sorriso: «Ve le portiamo noi fino a casa!». E, dopo ancora, avevano voluto comprare dei pasticcini e delle bibite per festeggiare insieme il loro incontro.

Una volta a casa, avevano mangiato e bevuto insieme, e poi...

Poi i nonni si erano svegliati.

Di aver dormito non se n'erano proprio accorti. Chissà cosa mai era successo...

Semplicemente, che i soldi della pensione e i gioielli della nonna erano spariti. In quella bibita che i due poveri malcapitati avevano bevuto, era poi risultato, c'era stato messo un fortissimo sonnifero.

«Parevano così gentili ed educate» aveva mormorato la nonna, mentre il nonno era arrabbiatissimo con se stesso per essersi fatto prendere in giro come un credulone, lui che era stato un severissimo controllore di treno!

– Ecco come vanno queste storie! –. Viola appariva adesso molto interessata. – Io ho sentito raccontare in Tv un fatto quasi uguale a questo...

Brava, Viola! Era proprio la frase che Vincenzo stava aspettando.

– È vero, di fatti così ne succedono tutti i giorni – continuò lui. – I vec... cioè gli *anziani* ci cascano perché a loro piacciono le persone gentili che gli dimostrano amicizia. E mica si possono ricordare di tutti quelli che hanno conosciuto nella vita... Qualche nipote, poi, ce l'hanno quasi tutti. Capite come funziona il trucco?

– Sì, ma *noi* che c'entriamo? Non l'abbiamo mica messo *noi* il sonnifero nell'aranciata! –. Questa frase Mirko e Viola la dissero quasi insieme, ma Vincenzo sembrava non l'avesse neanche sentita.

– *Noi*, la banda della III C, diventeremo investigatori e proteggeremo i pensionati del nostro quartiere! – gridò con entusiasmo. – Insomma, facciamo degli appostamenti, e quando scopriamo qualcuno a mettere in pratica quei trucchetti lo acchiappiamo, lo chiudiamo a chiave e poi chiamiamo la polizia!

Beh, come piano non era tanto male. Magari solo un po' difficile da realizzare.

– E quando lo faremmo questo lavoro da *detective*? La mattina non andiamo a scuola? O forse sono io che non ho capito bene... –. Viola era sempre tremenda con il suo spirito criticone, roba da mandare all'aria all'istante qualsiasi progetto, anche il più meraviglioso.

– Già, – sospirò Vincenzo – al fatto della scuola ci ho pensato anch'io, ma ho anche trovato la soluzione: il nostro lavoro di investigatori lo faremo solo il sabato, quando la scuola è chiusa.

– Ah! Ah! –. Mirko a quel punto rise forte. – Bisognerà avvisare tutti gli imbroglioni, le signorine false-gentili e i loro complici. Anzi, metteremo un annuncio: «Per favore, cercate di fare le vostre truffe solo di sabato, perché noi, la banda della III C, solo di sabato possiamo acchiapparvi».

– C'è poco da ridere – rispose Vincenzo senza prendersela troppo. – Di sabato gli uffici postali sono sempre più pieni. Anche mia nonna la pensione la ritira proprio il sabato.

– Ho capito –. Viola voleva mostrarsi

un po' più gentile, ma non ci riusciva granché. – Diventeremo gli angeli custodi della nonna di Vincenzo. Va bene anche così.

Ma Vincenzo non era d'accordo. – Non è solo per mia nonna! È per tutti! Quegli imbroglioni bisogna proprio che abbiano il fatto loro!

3
Il piano di Vincenzo

MA NEL PIANO di Vincenzo sua nonna c'era, eccome. Bisognava pur cominciare da qualche parte!

I nonni di Mirko erano già stati truffati, quindi era un po' difficile che ci cascassero un'altra volta. Quelli di Viola vivevano tutti e quattro a Lecce (e da lì era arrivata Viola appena un anno prima). E allora?

Restava solo nonna Lena, che per di più viveva da sola, avendo perso suo marito un anno prima che nascesse Vincenzo.

Quel nonno, che si chiamava Salvatore, Vincenzo lo aveva visto solo nel-

le fotografie, e più di tutte gli era piaciuta quella con la cornice lucida, dove si vedeva un nonno giovane vestito
da soldato.

Quindi, concludendo, si poteva cominciare solo da nonna Lena (ma il
suo nome vero era Maddalena) che,
come Vincenzo spiegò con pazienza
da comandante:

1) abitava abbastanza vicino all'ufficio postale,

2) in quell'ufficio postale ritirava
ogni mese la sua pensione,

3) sempre in quell'ufficio teneva i
suoi soldi in un conto,

4) ci pagava tutte le sue bollette e

5) si fermava molto di più di quello
che serviva, per chiacchierare con la
gente, così, tanto per passare il tempo.

Un perché di tutto questo scambiare

parole c'era. Nonna Lena era stata per tanti anni maestra elementare, e adesso che era a riposo le mancava un po' non avere più nessuno a cui spiegare le cose.

Questa era la situazione.

Mirko, mentre Vincenzo si affannava a descriverla in tutti i particolari, tirò fuori la sua aria fintamente annoiata.

– Hai visto che avevo ragione io? – sbuffò. – Il nostro grandissimo "piano"

è solo quello di sperare, chissà perché, che gli imbroglioni scelgano di truffare proprio la nonna di Vincenzo. Ma che bella combinazione! Vi sembra una cosa possibile?

– Tu non capisci! –. Adesso Vincenzo si era proprio arrabbiato. – È solo la prima mossa, il nostro punto di partenza! Come pensate che possiamo fare noi tre, da soli e alla nostra età, ad andare in giro per il quartiere seguendo vecchietti in pericolo?

Poi Vincenzo scoccò quella che era la sua "freccia finale": – Credete che i nostri genitori ci darebbero il permesso?

Seguì un minuto di silenzio.

– Mio padre no di sicuro –. Solo a pensarci, a Viola passò negli occhi un lampo di spavento.

Mirko non disse niente. Lui aveva sempre voluto fare bella figura con Viola, raccontandole quanto a casa sua fosse libero e indipendente, ma la situazione non stava esattamente in quel modo.

Appariva chiaro a tutti che nessuna delle tre famiglie avrebbe detto: «Andatevene pure da soli in giro per il quartiere a fare i *detective* privati». Ed era proprio a questo punto che entrava in gioco il "piano" di Vincenzo.

Lui aveva già cominciato a costruirlo, quel piano. Mica voleva solo perdere il tempo in chiacchiere.

Aveva chiesto a nonna Lena: «Posso venire il sabato a pranzo da te?» e, appena la nonna aveva detto di sì con entusiasmo, aveva subito aggiunto: «Posso portare con me i miei due più cari amici?» spiegando che dopo mangiato avrebbero fatto i compiti insieme, così, per poter avere la domenica libera.

Figuriamoci se la nonna non era stata contenta! Oltre alla madre di Vincenzo, aveva cresciuto altri tre figli e per anni era stata abituata ad avere una casa sempre piena di giovani. Poter ricominciare a cucinare per degli "ospiti" era proprio il suo sogno.

E questa era andata.

– Lo capite? – spiegò il grande investigatore di nome Vincenzo. – Così avremo una scusa per uscire da soli e arrivare dalle parti dell'ufficio postale, senza che i nostri genitori ci chiedano spiegazioni.

Sì, così forse poteva funzionare. Anche Mirko ormai si era convinto, e Viola appariva addirittura un po' ammirata dalla furbizia del suo amico.

E infatti funzionò.

I genitori dei tre ragazzi prima si informarono per bene, poi ringraziarono nonna Lena con lunghe telefonate. Tutto sommato era una faccenda abbastanza comoda... Nella famiglia di Mirko c'erano due bambini

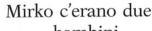

più piccoli a cui
badare, e i genitori di
Viola lavoravano entrambi
anche il sabato, e il fatto che la
scuola quel giorno fosse chiusa era
sempre stato un bel problema.

E allora onore al merito! La prima
parte del piano era andata proprio bene seguendo le direttive di Vincenzo,
che ormai si stava gonfiando d'orgo-
glio. Non voleva proprio dirlo con le
parole, ma dentro di sé gli sembrava

che di questa "banda della III C" lui fosse un po' il capo.

E venne il giorno.

– La nonna ci aspetta per domani – sussurrò Vincenzo a scuola, e tutti e tre si sentirono pronti per la battaglia.

– Ve lo devo dire – aggiunse Vincenzo un po' incerto. – A casa di mia nonna ci saranno una cosa buona e una non tanto buona. Insomma, in parole più difficili, un vantaggio e uno svantaggio.

Il vantaggio? Mirko e Viola erano tremendamente curiosi.

– Mia nonna cucina *benissimo*! Non roba tipo pizza a metro o surgelati. No, cose diverse, che ti fanno venire l'acquolina solo a vederle!

Beh, niente male, ma lo svantaggio?

– La nonna mi ha creduto quando le ho raccontato che ci riuniamo per fare i compiti insieme, e sapete cosa mi ha detto? «Ma vi aiuto io! Sono sempre una maestra!»

– Nooo! Ci tocca studiare davvero! A quell'ora, dopo che abbiamo mangiato le cose buone che ci hai promesso! Se non è sfortuna questa! –. Mirko era proprio sconsolato.

Vincenzo si sentiva sconfitto e non sapeva cosa rispondere, ma questa volta, con grande stile, Viola gli venne in aiuto: – Va bene! Vorrà dire che avremo tutta la domenica libera per davvero.

4
Un "fortunato" incontro per le scale

LA PRIMA VOLTA nonna Lena volle farsi trovare al portone. Era curiosa di conoscere subito i due "migliori amici" di suo nipote Vincenzo, e le sembrava una cosa molto carina poter salire le scale insieme, spalancare la porta, entrare in casa con una specie di solennità, come se fosse una scena al teatro.

Vincenzo disse agli amici: – Per questa prima volta niente "indagini poliziesche". Andiamo a pranzo da mia nonna e basta. Il resto verrà nelle prossime settimane.

E così, tutti e tre si accontentarono

di salire le scale cercando di comportarsi il meglio possibile e di rispondere con educazione alle domande della nonna di Vincenzo.

Erano quasi arrivati al secondo piano (dove dovevano fermarsi), quando sentirono una "voce" alle loro spalle.

– Permesso, permesso, fatemi passare! Chi siete voi, come vi chiamate? – stava gridando un bambino che poteva avere suppergiù due, forse tre anni.

Poi, all'improvviso, un violento scrollone alle spalle di Mirko, e quel minuscolo bambino con tanti capelli dritti come una spazzola si era già infilato in mezzo a loro.

– Stai buono, Edoardo –. La giovane madre, che fino ad allora era riuscita a trattenerlo tenendolo per mano, si stava ora scusando con la nonna. – Mi dispiace, è un bambino un po' vivace, insomma, è una specie di terremoto...

Ma la nonna rispose gentilmente: – Non si preoccupi – e già stava abbracciando il "terremoto" con grande calore e molti complimenti.

«Ci mancava anche questa peste...» stava pensando Vincenzo, sempre preoccupato che qualcuno o qualcosa arrivasse a mandare all'aria il loro "piano". Poi, con orrore, vide che la madre del "terremoto" si stava dirigendo verso una porta sullo stesso pianerottolo in cui si trovava la casa di nonna Lena.

Due porte vicinissime, quasi appiccicate, solo che quella della nonna aveva davanti un normale tappetino marrone con una striscia verde, mentre di fronte all'altra si notava un curioso zerbino a forma di funghetto.

«Ecco, adesso siamo proprio fritti» continuava a ragionare fra sé Vincenzo. «Un bambino a un passo da noi che può sbucare fuori in qualsiasi momento, magari proprio quando stiamo inseguendo uno degli imbroglioni... Peggio non ci poteva capitare.»

In effetti, le intenzioni del piccolo Edoardo, almeno per quanto riguardava "appiccicarsi a loro", erano proprio queste. – Posso venire a giocare un po' con voi? – gridò con grande allegria, appena li vide entrare in una porta così vicina a casa sua.

E mentre Vincenzo era già pronto a tirare fuori qualcuna delle sue magnifiche scuse, tipo "i compiti" o "la nonna si può stancare", nonna Lena rispose: – Ma certo, vieni un po' da noi intanto che io finisco di preparare il pranzo.

Non aveva ancora terminato la frase che il "terremoto" si era già infilato in casa e aveva cominciato a girare intorno alla tavola da pranzo canterellando: – Chi mi prende, chi mi acchiappa, chi ci riesce?

Mirko lanciò un'occhiata disperata al suo amico. «Ma come! Uno dei motivi per cui ho accettato l'idea della "banda" è proprio questo. A casa ho due fratelli piccoli, e sono anche gemelli, e non fanno altro che urlare! Avevo trovato un modo per scapparmene via. E adesso...»

Viola invece, che non aveva fratelli né sorelle, si mise a giocare un po' con

35

quel bambino capitato fra i piedi di tutti. Edoardo le stava già raccontando che di anni ne aveva quasi tre. – Così, quando viene freddo, potrò andare a scuola – stava spiegando, e aveva tutta l'intenzione di continuare...

Vincenzo, però, per una volta si sentiva dalla parte di Mirko. E arrivò in cucina dalla nonna quasi al volo e con la faccia molto scura.

– Nonna! – protestò. – Io vengo qui con i miei amici, abbiamo tutti quasi nove anni, e tu vuoi farci giocare con un bambino di due!

– Ma sì –. La nonna non era affatto turbata. – Siate un po' più pazienti con quel bambino! Mica verrà sempre... solo ogni tanto. È una famiglia che si è trasferita qui da poco, e non conoscono ancora nessuno.

– Va bene, va bene, ma non sono mica fatti nostri – sbuffò Vincenzo, poi di colpo si arrestò. Cosa stava dicendo la nonna? Dentro la sua testa Vincenzo aveva sentito un *clic*. Sì, perché nonna Lena, in tono abbastanza indifferente, stava raccontando, fra le altre cose, che il padre di Edoardo era un poliziotto arrivato a Roma appunto da pochi mesi. Un poliziotto!

Un poliziotto a un passo da loro, sullo stesso pianerottolo, che quasi bastava allungare un braccio per chiamarlo! Cosa ci poteva essere di meglio? Era l'unico tassello che mancava al loro piano.

Ecco come poteva andare: loro trovavano gli imbroglioni, e subito pronto c'era il poliziotto per arrestarli. Quando si parla di fortuna!

Vincenzo si precipitò nella sala da pranzo e raccontò a bassa voce, prima a Mirko, poi a Viola, l'importante scoperta.

Viola disse: – Evviva!

Mentre Mirko, che era ancora di umore nero, mormorò: – Cosa credete, che se ne stia a casa aspettando che suoniamo il campanello? Un poliziotto deve andarsene sempre in giro per le strade a combattere contro i ladri.

Ma Vincenzo non gli diede retta. – A

mangiare e dormire a casa i poliziotti ci vanno – sentenziò, e con grande gioia vide che Viola gli stava dando ragione.

Poi arrivò il momento del pranzo. Edoardo, dopo qualche capriccio, finalmente seguì la madre a casa propria, e la pace tornò.

Anche Mirko sembrava di nuovo allegro. Certo, con quel pranzo, il bambino e i suoi strilli furono dimenticati di colpo!

La nonna aveva preparato le tagliatelle, fatte a mano personalmente da lei, un pollo arrosto che sembrava dipinto, tanto era dorato e croccante, patate al forno altrettanto dorate e, per finire, un dolce ornato da circoletti di morbidissima panna con al centro una ciliegia candita.

Quando dopo mangiato la nonna andò a riposare, Vincenzo richiamò all'ordine gli amici della III C, per discutere ancora dei programmi della banda.

Tutti insieme decisero che, anche se non ne avevano tanta voglia, era meglio fare amicizia con Edoardo, sua madre e soprattutto suo padre.

Quando, finalmente liberi, cominciarono a giocare, si presentò la nonna che disse tutta contenta: – È arrivato il momento dei compiti, vero?

5
La "banda" fa le prime mosse

Con il "TERRITORIO", ormai, avevano familiarizzato. Era arrivato il momento di cominciare a fare le prime mosse.

– Ma tua nonna lo sa che noi la seguiremo quando andrà alla posta per ritirare la pensione? –. Mirko di questo famoso piano del suo amico non era mai stato proprio convinto e nemmeno l'aveva tanto capito.

– No! Non deve saperlo! – gridò subito Vincenzo. – Sarebbe un vero guaio! Lei deve comportarsi normalmente, altrimenti gli imbroglioni se ne accorgono e il nostro piano va a gambe all'aria.

Poi Vincenzo si mise a spiegare per la centesima volta che seguire nonna Lena era solo un pretesto per poter passeggiare dalle sue parti il sabato mattina con il permesso dei genitori... Tutto qui. La banda della III C doveva salvare *tutti*, e non occuparsi solo della nonna di Vincenzo.

Infatti, quando entrarono tutti e tre per la prima volta nell'ufficio postale, nonna Lena non c'era. Se ne stava tranquillamente a casa a cucinare per loro delle cose certamente meravigliose.

Ma, una volta dentro, Vincenzo e i suoi amici si scambiarono un'occhiata. Non sapevano cosa fare. Per fortuna c'era molta gente e di sicuro nessuno si sarebbe messo a guardare proprio dalla loro parte.

Tutti, appena entravano, schiacciavano un bottone e, da una specie di colonna, invece di una gomma da masticare, usciva un bigliettino con stampati sopra un numeretto e delle lettere.

Dopo un po' di tempo, quel numero

appariva su uno schermo in alto, come nel karaoke. Allora, il signore che lo teneva in mano si avvicinava a uno degli sportelli.

Mirko pensò bene di schiacciare anche lui il bottone, e si ritrovò tra le dita un biglietto con su scritto "CO" e il numero 72.

– Sei impazzito? – si spaventò Vincenzo. – Perché l'hai preso? Quando esce il tuo numero cosa gli dici a quello dello sportello?

A quel punto Mirko si spaventò anche lui. Gli venne subito in mente la scena di quando la maestra ti interroga e tu non riesci ad aprire bocca. Allora corse verso la porta e, appena vide entrare una signora che si muoveva con passi un po' stanchi, le tese il biglietto.

La signora disse: – Grazie bambino... purtroppo però non ho soldi spicci.

Credeva che lui volesse una mancia!

Mirko balbettò: – No, no, è in regalo – e scappò a rifugiarsi in fondo alla sala, mischiandosi con i suoi amici.

Quando furono tutti un po' più calmi, cominciarono a guardarsi intorno.

– Guarda quello! Secondo te è pericoloso? – fece Mirko indicando un giovanotto seduto accanto a una ragazza su una panca laterale che sembrava proprio non avere niente da fare.

Chissà chi erano...

– Quella donna! – mormorò a un tratto Vincenzo.

– Quale?

– Quella grassa con i capelli un po' marrone e un po' rossi.

– Cos'ha di strano?

– Ha una borsa come quella dei postini, ma non è una postina. Se ne sta lì da un mucchio di tempo a non fare niente... e poi si ficca sempre nei punti dove c'è più gente e continua a guardare tutti...

– Beh, anche noi ci guardiamo attorno, e allora? –. Mirko aveva sempre voglia di "andare contro" Vincenzo, che si comportava come il "capo" solo per esibirsi di fronte a Viola.

– Cosa dobbiamo fare con questa signora? – chiese invece Viola con buona volontà.

– Niente – rispose Vincenzo. – Solo ricordiamocela – aggiunse, guardando Mirko con aria di trionfo.

Era passato un bel po' di tempo, e l'unica cosa positiva era che nessuno faceva caso a loro tre, anche perché di bambini ce n'erano altri, magari più piccoli, in compagnia delle proprie madri.

– Va bene! – concesse Vincenzo. – Per oggi ce ne possiamo andare. Abbiamo appena cominciato, no? E il prossimo sabato esploreremo l'altro ufficio postale.

Una volta per strada, Vincenzo notò una signora molto anziana che con una mano si appoggiava al bastone e con l'altra reggeva a fatica due o tre borse della spesa.

Bene! Almeno una piccola cosa la potevano fare, visto che, tutto sommato, la mattinata era stata un po' sprecata.

– Gliele portiamo noi le borse, signo-

45

ra! –. Vincenzo dall'entusiasmo gliele strappò quasi di mano.

La signora si voltò di scatto, con l'energia di un giocattolo a molla. – Giù le mani dalle mie sacche! – gridò, agitando il bastone in modo molto minaccioso.

Vincenzo fu rapido a fare un salto all'indietro. – Io volevo… volevo solo… – balbettò.

La signora, che doveva essersi un poco pentita, gli disse in un tono leggermente più gentile: – Su! Vai da tua madre che ti sta aspettando! –. Poi

allungò le borse con un gesto spazientito a una ragazza che stava arrivando di corsa, e certamente in ritardo.

Insomma, per ora nemmeno i piccoli tentativi di rendersi utili avevano funzionato!

– In fondo, siamo solo all'inizio –. Questa volta fu Viola a voler consolare un po' Vincenzo. Vincenzo si sentì subito ricompensato e felice, più che se avesse già catturato un'intera banda di truffatori di vecchietti.

Ma, una volta raggiunto il portone e suonato al citofono della nonna, l'altra parte del piano cominciò a funzionare.

Il "terremoto", e cioè il bambino di nome Edoardo, doveva aver sentito le loro voci per le scale e già si era piantato sul pianerottolo con sua madre alle spalle, saltellando dall'impazienza.

– Giocate con me! Me l'avete promesso –. Edoardo stava già per infilarsi come l'altra volta a casa di nonna Lena, ma Vincenzo lo fermò.

– Veniamo noi da te, se tua mamma vuole.

Lorenzina, così chiamavano la madre di Edoardo, si affrettò a rispondere che ne era molto contenta.

– C'è anche tuo padre? – s'informò Vincenzo con finta indifferenza.

– No, mio papà sta lavorando. Lui mette le multe a chi attraversa col rosso! – gridò Edoardo tutto entusiasta.

– Non è vero, – rise Lorenzina – le multe le mettono i vigili urbani. Papà fa il poliziotto e deve correre dietro ai cattivi, quelli veri.

– Anche a quelli che imbrogliano i vecchietti?

– Certo – rispose Lorenzina, guardando Mirko un po' stupita. Per fortuna non si accorse che Vincenzo stava pizzicando con forza la gamba del suo amico, che era già pronto (lui lo conosceva bene) a dichiarare: «Anche noi».

Ma Edoardo voleva giocare, mica chiacchierare.

Giocare con un bambino di meno di tre anni era una parola!

Ora più che mai, sembrava che i tre amici non sapessero cosa inventarsi.

Questa volta fu il turno di Viola.

– Vuoi che ti racconti una storia?

– Però non una che so già –. Il tono di Edoardo era molto deciso.

– No, te ne racconto una che conosco solo io, perché l'ha inventata per me mia zia Caterina.

– Allora va bene –. Il "terremoto" si degnò di accettare la proposta.

E Viola cominciò a raccontare la storia dell'Orso Bu.

L'Orso Bu si chiamava così perché era un orso buono e aiutava sempre tutti, anzi, arrivava sempre in tempo per salvare chi era in pericolo.

La storia era davvero bellissima, ed Edoardo l'ascoltava con gli occhi spalancati. Anche Mirko e Vincenzo se ne stavano immobili con la stessa espressione meravigliata di quel bambino tanto più piccolo di loro.

– Tu lo conosci proprio l'Orso Bu? – domandò alla fine Edoardo.

– Finora non l'ho mai visto, ma forse un giorno verrà.

– Me lo fai incontrare quando arriva?

– Certo, promesso –. Viola aveva un'aria molto seria. – Anzi, sai cosa facciamo? – aggiunse dopo un po'. – Intanto gli scriviamo. Lui vive molto lontano in mezzo ai ghiacci, e ha bisogno di un po' di tempo per arrivare da noi.

– Sì, sì! –. Edoardo cominciò a saltare e, per fortuna, quando nonna Lena suonò il campanello per avvertire che il pranzo era pronto, il "terremoto" era ancora così emozionato che non gli venne neanche in mente di mettersi a gridare «voglio venire con voi!».

Corse subito a prendere la scatola con le matite colorate perché voleva provare a disegnare l'Orso Bu. Però i ghiacciai sono bianchi, e anche l'Orso Bu, e così con le matite colorate il disegno non poteva proprio venir bene...

Quando erano già sul pianerottolo, Mirko si avvicinò a Lorenzina e le disse piano: – Se suo marito avesse bisogno di aiuto, noi il sabato siamo liberi. Ci trova qui. Siamo molto svelti, noi...

– Glielo dirò, e sono sicura che gli farà molto piacere – sorrise Lorenzina, prima di andare ad aiutare suo figlio a disegnare orsi e ghiacciai.

6
Pericoli e sorprese

IL PRIMO GUAIO capitò uno dei sabati successivi.

Vincenzo e compagni avevano deciso di mettersi di guardia all'altro ufficio postale, quello un po' più lontano da casa della nonna (che per loro, appunto, era "quello lontano").

Ma come mai nonna Lena si trovava a passarci davanti proprio quella mattina?

– Cosa ci fate qui? – domandò sorpresa.

– E tu allora? Non hai un ufficio postale proprio a un passo da casa tua? – ribatté Vincenzo.

– Ma io non sto andando alla posta. Cosa ti salta in mente? – rispose Lena un po' nervosa. – Avevo una commissione da fare.

Oltre che seccata la nonna sembrava anche leggermente confusa, e la spiegazione c'era: quel pacchetto avvolto in carta di pasticceria che dalla forma sembrava proprio una torta, ecco la spiegazione! Allora le cose stavano così: forse il resto lo cucinava lei, ma il dolce di cui si mostrava sempre tanto orgogliosa lo comprava bello che fatto!

Ma alla nonna non piaceva essere messa in difficoltà, e perciò tornò subito all'attacco. – Insomma, non mi avete detto come mai stavate uscendo da un ufficio postale.

– Beh... –. Vincenzo si era sempre considerato campione mondiale nell'inventare scuse, e perciò tirò fuori la sua "arte". – Non lo sai che Viola da grande vorrebbe lavorare alle Poste? Ha questa passione e perciò ogni tanto l'accompagniamo a "studiare la scena", insomma, a vedere cosa succede là dentro.

Viola ebbe un sobbalzo e fulminò Vincenzo con lo sguardo. Ma come! Lo sapevano tutti che lei da grande voleva fare la stilista, disegnare vestiti per le case di moda, e poi, una volta fatti, provarli su di sé. Era anche un'ottima trovata per possedere gratis un magnifico guardaroba!

La nonna, invece, a quella scusa ci credette subito e disse con molta gentilezza a Viola che non c'era bisogno di arrivare così lontano. Anzi, all'ufficio postale vicino a casa conosceva delle impiegate molto simpatiche che avrebbe potuto presentarle. – Fra qualche giorno dovrò proprio andarci, perché mi è arrivato il solito vaglia dello zio Guido – aggiunse piuttosto allegra.

Lo zio Guido era uno dei figli di nonna Lena e perciò zio di Vincenzo. Laggiù in Canada, dove si era trasferito, aveva fatto fortuna con la sua azienda di giochi elettronici per ragazzi, e aveva preso la (bella) abitudine di spedire ogni tanto a sua madre un bel po' di soldi perché, come diceva lui, «si comprasse quello che le piaceva» (forse le torte della pasticceria).

Ma i ragazzi la frase sul vaglia non l'avevano nemmeno ascoltata. Tutti e tre erano sobbalzati vedendo entrare in fretta nell'ufficio postale quella strana signora con i capelli mezzi rossi e mezzi marrone e la borsa da postino a tracolla.

La nonna seguì il loro sguardo. – Guardate quella – sussurrò. – La vedo sempre in giro dove c'è più gente. Credo che sia una ladra che vuole acchiappare qualche portafoglio... Ma non è tanto pericolosa! A me non si avvicina mai, perché si è accorta che la tengo d'occhio.

Tutto qui! Ma allora a cosa serviva la banda della III C se nonna Lena le aveva già rubato il mestiere?

La nonna era arrivata a casa subito dopo il loro incontro. I ragazzi invece le avevano annunciato che prima si sarebbero fermati da Edoardo, perché glielo avevano promesso. Ormai avevano quasi perso la speranza d'incontrare un giorno suo padre poliziotto.

Invece non avevano indovinato.

Lo videro eccome!

Scendeva per le scale tirandosi dietro ammanettato un brutto ceffo con la faccia arrabbiata.

Edoardo fece capolino dalla porta di casa tutto eccitato, gridando: – Quello è il mio papà! Ha arrestato un cattivo!

Lì, nel palazzo? La nonna e gli altri vicini si affacciarono per chiedere cosa fosse successo.

E Lorenzina non riusciva in nessun modo a trascinare in casa suo figlio, che continuava a saltare. Così, fu lei a spiegare che quel brutto tipo si era presentato ai due anziani del quarto piano dicendo di essere un carabiniere in borghese e mostrando una tessera sicuramente falsa.

In poche parole, i due anziani avevano ritirato da poco la pensione quando

57

il finto carabiniere aveva bussato alla loro porta e gli aveva raccontato che all'ufficio postale si erano accorti di aver consegnato senza saperlo dei soldi falsi.

Aveva chiesto ai due anziani di fargli vedere i loro e poi aveva detto: «Sì, purtroppo sono falsi anche i vostri. Le Poste ve ne consegneranno altri, ma intanto questi li devo ritirare».

Ma loro, che erano molto svegli, non gli avevano creduto neanche un po', anzi, avevano spalancato la porta di casa e avevano cominciato a urlare: «Aiuto! Aiuto!».

Quando si dice la fortuna!

Il padre di Edoardo era nel suo giorno di riposo e perciò se ne stava tranquillo a casa. Sentendo quegli «aiuto!» aveva fatto un balzo e in un baleno era già al quarto piano ad arrestare il truffatore, che stava cercando di scappare.

Vincenzo, Mirko e Viola si guardarono. Che storia emozionante! Ed era successa proprio lì, senza che loro, neanche questa volta, avessero potuto alzare un dito per fare qualcosa.

Entrarono un po' avviliti in casa di Edoardo, che ora si era un po' calmato e già stava chiedendo di nuovo la storia dell'Orso Bu.

Voleva ascoltare altre avventure e, più di tutto, sapere quando finalmente l'Orso Bu sarebbe arrivato a casa sua.

Un po' di fortuna però alla fine capitò anche ai tre amici.

Il padre di Edoardo tornò a casa abbastanza presto. Ebbero il tempo di guardarlo meglio. Sembrava proprio un giovane, magro e svelto come era. Si dimostrò molto gentile e si presentò, dicendo anche il suo nome: Antonio. Poi chiese subito notizie dell'Orso Bu.

Ma guarda un po', Edoardo doveva avergli raccontato la storia inventata dalla zia di Viola!

Loro però preferirono sentire di nuovo come era andata l'avventura dei signori del quarto piano. – Questo è un quartiere un po' vecchiotto e perciò abitato da molti anziani. Truffe di questo genere ce ne sono continuamente – spiegò Antonio alla fine.

Viola, Mirko e Vincenzo si consolarono.

Se in quel quartiere c'erano così tanti truffatori, ne sarebbe avanzato qualcuno anche per la banda della III C!

7
Finalmente l'avventura?

CERTE VOLTE non dipende da te, ma è la fortuna che ti viene a cercare con grande gentilezza. E fece così anche con i nostri tre "investigatori".

Sì, perché non era affatto obbligatorio che la nonna aspettasse il "loro" sabato per andarsene tranquilla tranquilla alla posta a ritirare i soldi del vaglia dello zio Guido. Invece fu proprio quello che successe.

Per un altro colpo di fortuna, i tre amici questa volta non si erano ancora sistemati all'interno dell'ufficio postale, ma erano dall'altra parte della strada, abbastanza nascosti dietro un'edicola.

Fu Viola a vederla per prima. – Guardate! – disse. – Quella è la nonna di Vincenzo.

Infatti Lena si stava infilando dritta nell'ufficio postale, trascinandosi dietro una di quelle borse per la spesa con le ruote.

«Già, il vaglia» pensò Vincenzo. «La nonna, quando uscirà dalla posta, avrà un bel po' di soldi nella borsa...»

I tre ragazzi della banda della III C si guardarono.

Era chiaro che a tutti era passato per la mente lo stesso pensiero.

– Dai, cerchiamo di ragionare. Perché proprio oggi dovrebbe esserci qualcuno pronto a portarle via i soldi? Solo perché noi, così, possiamo smascherarlo? –. Mirko era il solito distruttivo, ma forse non aveva tutti i torti.

– Non si sa mai – se ne uscì invece placidamente Viola. Da quando aveva acquistato importanza come speciale narratrice della storia dell'Orso Bu, Viola si sentiva molto più sicura di sé.

E così si misero tutti e tre di guardia, con il collo che gli faceva male tanto lo tenevano teso.

Certo, la fila alla posta doveva essere bella lunga. Chissà che numero alto era capitato alla nonna. Pareva che non avesse proprio intenzione di ricomparire. Che fosse uscita da un'altra parte? Ma no, le porte erano tutte e due lì sulla facciata e bene in vista.

La giornalaia, a vedere quei tre ragazzini che continuavano a gironzolare attorno all'edicola, si era un po' insospettita.

– Insomma, questo giornalino non lo avete ancora scelto? – disse in un tono che sembrava abbastanza minaccioso.

– Un momento –. Vincenzo si frugò in tasca e trovò subito l'euro che si portava dietro per sicurezza.

Ma proprio in quel momento la nonna si era decisa a uscire dalla posta.

– Prendo questo – farfugliò Vincenzo e, consegnato l'euro alla giornalaia, afferrò a casaccio il primo giornaletto che si trovò davanti. Poi corse via insieme agli amici.

– Ti sei sbagliato! – gli gridò dietro la giornalaia. – Hai preso il giornale di caccia e pesca!

Ma i ragazzi neanche la sentirono.

Erano già lontani.

Lontani, ma non *troppo* lontani. Non dovevano farsi vedere dalla nonna se no la "trappola" non sarebbe mai scattata. A Vincenzo dispiaceva non poterla aiutare a trascinare la borsa con le ruote, ma non c'era niente da fare. Loro tre si dovevano accontentare di seguirla a distanza senza perderla d'occhio. Possibile che quel giorno la fortuna avesse proprio deciso di fare amicizia con i ragazzi della III C?

Sì, perché dopo pochi passi una giovane donna si era avvicinata a nonna Lena e con una gentilezza un po' insistente le stava togliendo dalle mani il manico della borsa.

Con l'altra mano la donna, che portava occhiali da sole alla moda e ca-

66

pelli raccolti in una coda di cavallo, reggeva un pacco di pasticceria legato con un nastrino rosso.

Possibile? La falsa "assistente sociale", proprio lì, davanti a loro.

La nonna e la giovane con la coda di cavallo si erano adesso fermate al portone e chiacchieravano fittamente.

Questa volta i ragazzi si nascosero semplicemente dietro un albero (così non fu necessario tirare fuori un altro euro).

– Guardiamo cosa fa... – sussurrò Vincenzo. – Forse ora quella lì se ne va...

E invece era successo.

La nonna aveva aperto il portone ed era entrata seguita subito dalla donna con il pacchetto di dolci che ancora si trascinava dietro la borsa con le rotelle.

– E il sonnifero da mettere nel caffè? – mormorò Mirko.

– Ce l'ha nella borsa – decise Viola.

– Saliamo anche noi, presto! – gridò allora Mirko.

– Sei matto! – lo riprese Vincenzo. – Quella la riempirà di chiacchiere fino a farla confondere. Noi dobbiamo riuscire a coglierla sul fatto.

– E se poi nonna Lena si addormenta?

– Proprio in quel momento, anzi, un momento prima, arriviamo noi.

– E come capiamo quando sarà "quel" momento?

– Facciamo tra venti minuti – sentenziò Vincenzo indicando il grande orologio civico alla fermata dell'autobus. Meno male che a scuola aveva imparato bene a leggere le lancette delle ore e dei minuti.

– E se scappa prima?

– La fermiamo al portone! Siamo qui per questo...

Sembrava che venti minuti fossero veramente troppo lunghi a trascorrere. Dopo un po', tutti e tre insieme decisero che quel famoso "momento" di salire dalla nonna era arrivato. Lo avevano deciso anche perché il portone si

69

era aperto per far uscire un ragazzo in tuta da ginnastica. Così loro non sarebbero stati costretti a suonare al citofono, facendo insospettire la truffatrice.

Suonarono perciò direttamente alla porta di casa del secondo piano.

La scena la videro proprio come l'avevano immaginata: la nonna che si doveva essere appena alzata dalla sedia per aprire la porta, mentre su un'altra stava ancora comodamente seduta la donna con i capelli a coda di cavallo.

Sul tavolo erano appoggiate le due tazzine da caffè decorate con i fiori blu (in una doveva esserci stato messo il sonnifero) e, in mezzo, il vassoio con i pasticcini che aveva portato la donna.

– Oh, mio nipote con i suoi amichetti! Così presto! – gridò la nonna rivolta alla sua ospite, aggiungendo subito: – Entrate!

Ma Vincenzo e gli altri non si mossero dalla porta.

– Nonna, vieni qui, più vicino! – le ordinò Vincenzo.

Poi, mentre nonna Lena si avvicinava un po' stupita, suo nipote entrò con un balzo in anticamera, afferrò la chiave infilata all'interno della porta a vetri della sala da pranzo, la mise nella serratura all'esterno e, con gesto deciso, diede un giro.

La donna dei pasticcini adesso era finalmente prigioniera.

8
Faccia a faccia

LA NONNA guardò suo nipote veramente sbalordita.

– Che cosa significa questa bravata? Come ti viene in mente di fare uno scherzo del genere a una persona che nemmeno conosci? –. Lena si aggrappò con forza alla mano di Vincenzo per cercare di strappargli la chiave della sala da pranzo che stringeva tra le dita.

– Nonna, ascoltami. È per il tuo bene. Anzi, ti chiedo di restarci vicina e di lasciare la chiave a me –. E intanto Vincenzo stava già dicendo in fretta a Viola: – Suona alla porta qui accanto e vedi se casomai il poliziotto fosse a casa.

Ma nonna Lena non era stata ai suoi tempi un'insegnante "per caso". – Non ti muovere – ordinò a Viola, che subito s'intimidì. – E tu, Vincenzo, consegnami im-me-dia-ta-men-te quella chiave.

Vincenzo, però, a intimidirsi non ci pensava proprio. – Nonna, sei in pericolo – insistette. – Hai già bevuto quel caffè?

– Quale caffè? Quello che con la tua scampanellata mi hai impedito di finire?

– Non l'hai finito! –. Improvvisamente i tre ragazzini si erano messi a saltare.

– Siete ammattiti tutti? –. La nonna ci capiva sempre meno, poi si riprese. – Ora mi spiegate, e anche in fretta, cos'è questa stupida sceneggiata che avete messo su.

– Nonna! –. A quel punto, negli occhi di Vincenzo, senza che neanche lui se ne rendesse conto, stava spuntando qualche lacrima. – Noi vogliamo solo salvarti. Ti sei lasciata avvicinare da una signora che sembrava gentile e ti ha portato anche la borsa. Tu non lo sai, ma è così che fanno quelle...

– Quelle chi?

– Le finte assistenti sociali! È tutta una truffa... Si mettono ad aiutare una signora anziana che hanno spiato mentre ritirava i soldi in banca o alla posta, chiacchierano con lei, le portano i pacchi, poi s'infilano in casa, si siedono, versano di nascosto un sonnifero nel caffè e alla fine rubano i soldi e anche i gioielli, se ci sono!

– E voi avete pensato... A questo avete pensato? –. Malgrado tutto, nonna Lena scoppiò in una grande risata.

– Beh, che c'è da ridere? Sì, abbiamo pensato...

– Ma voi lo sapete chi è la vostra sospettata?

No, non lo sapevano. Avevano solo capito che doveva essere una di quelle truffatrici che giravano per il quartiere.

75

– Quella è Francesca Torrieri, una delle mie più affezionate ex alunne. Mi viene a trovare tutti gli anni.

– Quella che sta di là, quella con la coda di cavallo?

Nonna Lena fece cenno di sì con la testa perché di nuovo le veniva da ridere.

Intanto la "ex alunna con i capelli a coda di cavallo" si doveva essere un po' preoccupata per la prolungata assenza della nonna e si era diretta verso la porta.

Un attimo dopo si accorse che la porta non si apriva.

– Ehi! – gridò. – Tutto bene? Guardi che dev'essere successo qualcosa a questa serratura, non si apre –. Poi, cominciò ad alzare e abbassare la maniglia con gesti sempre più decisi.

La nonna guardò Vincenzo che, senza dire una parola, le tese la chiave e abbassò confuso la testa.

Lena si precipitò ad aprire. – È stato mio nipote a chiudere – mormorò. – Mi doveva dire qualcosa di molto segreto e gli è venuta in testa questa idea. Scusami, Francesca.

– Non importa – la tranquillizzò sorridendo Francesca, poi chiese gentilmente: – È tutto risolto?

– Certo – fece la nonna.

– Io una cosa non l'ho capita – disse subito Vincenzo.

– Cos'è che non hai capito? – gli sorrise l'ex alunna. – Potrei aiutarti io. Sai, in fondo sono un'avvocatessa.

– Se lei viene qui tutti gli anni a trovare la nonna, perché non è arrivata direttamente a casa invece che incontrarla per strada? E come mai vi siete viste proprio all'uscita dalla posta?

Che bella arringa aveva fatto Vincenzo, proprio come nei tribunali dei film!

Viola ora lo guardava con grande ammirazione.

– Ma io avevo telefonato – rise l'ex alunna. – È stata tua nonna che mi ha chiesto di andarle incontro. Anzi, mi ha chiamato due volte sul cellulare, prima per dirmi a che punto era con la fila alla posta, e poi per avvisarmi che aveva finito.

– Beh, mi ha tenuto compagnia –. Nonna Lena ci pensò su un momento e poi ordinò ai ragazzi: – A questo punto dovete raccontarci tutto.

E così i tre amici, un pezzetto per uno e a volte tutti insieme, raccontarono veramente tutto: delle notizie che erano arrivate sulle truffe agli anziani (perfino ai nonni di Mirko), della decisione di formare la banda della III C per cercare di aiutare qualcuno, del poliziotto dell'appartamento vicino che aveva assicurato che in quel quartiere di imbrogli ne succedevano spesso e, finalmente, di come quella scena fra la nonna e una sconosciuta gli avesse fatto credere che fosse arrivato il momento di smascherare uno dei truffatori.

– Mi dispiace – disse a quel punto Francesca. – Mi dispiace davvero di essere solo un'avvocatessa e non una truffatrice. Ve lo meritavate proprio, perché il vostro piano era perfetto.

Ma la nonna non se la sentiva di essere altrettanto gentile.

– E così mi avete usato come una specie di esca? – tuonò. – Come vi è venuto in mente? Pensavate che proprio *io* mi sarei fatta prendere in giro da qualcuno? Io che in tanti anni da maestra e con centinaia di alunni non sono *mai* cascata in nessun trucchetto?

La nonna era più che indignata, era addirittura furiosa. Alla fine si calmò un poco e disse tristemente: – Allora non venite qui perché vi fa piacere stare con me, ma solo perché casa mia vi serve come base per le vostre esercitazioni da *detective*...

– Via, non sia così severa! – intervenne l'avvocatessa Francesca Torrieri. – Questi ragazzi non volevano fare niente di male, anzi... avevano, e di sicuro hanno ancora, intenzioni generose. Vogliono solo aiutare le persone più deboli. È una bellissima cosa quella che hanno pensato, e io gli voglio proprio stringere la mano.

I tre amici, ancora confusi, a questo punto allungarono la mano per ricevere la stretta dell'avvocatessa.

– Però questo non basta – aggiunse Francesca Torrieri. – Chiedo ufficialmente alla mia insegnante di abbracciare suo nipote e i suoi amici. Spero che anche lei, dopo la prima delusione, abbia capito quanto siano altruisti. E poi – aggiunse – sono sicura che non vengono in questa casa solo perché fa parte del loro piano. Credo che siano veramente felici di essere qui.

– Sì, è così! È proprio così! – gridò la banda della III C in coro.

E allora finalmente la signora Lena li abbracciò.

– Nonna! – e la voce di Vincenzo era ancora piena di entusiasmo. – Come puoi pensare che non siamo contenti di venire da te il sabato! E poi ci prepari sempre delle cose da mangiare così buone!

– La nonna sorrise, appena un po' ironica. – Vado a fare un altro caffè – disse in fretta. – Quello "avvelenato" di sicuro è diventato freddo...

9
Il "dopo"

LA NONNA li aveva davvero perdonati oppure voleva soltanto fare bella figura con la sua ex alunna? E se dopo non li avesse più voluti a casa, il sabato? Come avrebbero fatto a spiegarlo ai genitori? Ci mancava anche quella.

I tre amici si sentivano proprio sulle spine. Ma la nonna, quando Francesca Torrieri lasciò la casa dopo molti saluti e abbracci, disse solo: – Scusate ragazzi, per i motivi che tutti sappiamo sono un po' indietro con i preparativi per il pranzo. Per questa volta vi dovrete accontentare.

E infatti a tavola portò solo l'insalata e le fettine di carne girate in padella, roba che anche le loro mamme erano capaci di fare.

Per fortuna c'erano ancora tutti i pasticcini dell'avvocatessa, che nessuno aveva toccato. E con questi si consolarono almeno un pochino.

La vera fortuna però era un'altra. La nonna non aveva affatto la faccia arrabbiata. Pareva anzi che stesse meditando fra sé e sé, con un leggero sorriso sulle labbra.

– Ci ho pensato – disse dopo un po'. – Ha ragione Francesca. Le vostre intenzioni erano buone, anzi buonissime, e io, come educatrice più che come nonna, vi devo fare i complimenti.

Se i tre amici non gridarono in coro "urrà!" alzando le braccia verso il cielo, è perché queste scene si vedono solo al cinema e non nella realtà.

Ma la nonna proseguì, migliorando ancora le cose. – In fondo voi volevate proteggere i soldi che mi ha mandato lo zio Guido, e quindi meritate un premio.

Detto ciò la nonna si alzò, andò dritta in camera sua e tornò con il portafoglio in mano.

– Ecco, compratevi un giornaletto, delle figurine, o quello che più vi piace – disse, e consegnò a ciascuno dei tre amici un biglietto da cinque euro.

Forse quel «compratevi quello che più vi piace» era un po' esagerato (trattandosi di soli cinque euro) ma, si sa, gli anziani sui soldi hanno idee un po' ottimistiche e antiquate.

Poi, come tutti i sabati pomeriggio, venne il momento dei compiti. Nonna Lena li seguì come le altre volte e volle anche interrogarli uno per uno, ma nessuno provò a sbuffare.

Restava però ancora qualcosa che non aveva funzionato in quella giornata: Edoardo.

Si erano completamente dimenticati di andare a "giocare" da lui. E così fu Edoardo a suonare da loro, in quell'ora insolita. Aspettò abbastanza pazientemente che finissero di studiare,

dando l'assalto ai pasticcini rimasti, ma poi, sedutosi per terra, ordinò:
– Ora parliamo dell'Orso Bu.

I tre amici furono perciò costretti a telefonare a casa, per avvisare che avrebbero tardato un po' a rientrare.

Insomma, quel sabato se n'era andato a modo suo.

Ma il futuro? Il problema del futuro non era mica stato risolto.

Niente più pranzi dalla nonna, o magari pranzi sì, ma niente più investigazioni?

Questo avrebbe voluto dire sciogliere la banda della III C, perché nessuno forma una banda solo per andare a pranzo insieme!

Insomma, sarebbe stata una vera catastrofe.

Anche su questo punto, però, la nonna aveva dovuto farci un bel pensiero.

– Ragazzi – disse alla fine con voce tranquilla. – Continuate pure le vostre investigazioni. Magari potreste davvero essere utili a qualcuno. Ormai siete diventati così esperti... Basta che non corriate pericoli, mi raccomando!

Poi proseguì: – Per quanto riguarda me...

– Ti proteggeremo lo stesso, anche se ormai lo sai.

– Eh, no, ora che sono informata sarò io che darò una mano a voi. Se capita...

10
Come si diventa eroi

C'ERA quasi da non crederci.

La nonna "collaborava". Anzi, era abbastanza chiaro che stava proprio cominciando a divertirsi.

Sembrava che si fosse scordata completamente dell'arrabbiatura che si era presa quando aveva scoperto che la banda della III C aveva il quartier generale a casa sua senza che lei nemmeno lo sapesse. Adesso, se per strada incontrava Vincenzo e gli amici, strizzava l'occhio appena un po' e subito dopo faceva finta di non averli visti.

Solo una volta, quando era arrivato il momento di ritirare la pensione, si era messa a organizzare con loro un vero piano, accettando che la banda la seguisse a distanza.

Ma purtroppo nessuno la fermò, tranne la solita donna con i capelli mezzi rossi e mezzi marrone e la borsa da postino che, questa volta, cercò di darle uno spintone piuttosto forte. La nonna si scansò lesta e poi, da lontano, allargò le braccia con un gesto che voleva dire «mi dispiace per te».

I vecchi abitanti del quartiere erano quasi tutti abituati a quella ladruncola piuttosto imbranata che non riusciva mai a combinare niente, ma gli altri, quelli che non la conoscevano, molte volte ci cascavano. Però era solo un sospetto, nessuno era mai riuscito a coglierla sul fatto.

Con nonna Lena in particolare sembrava aver ingaggiato una sfida del tipo «con te ci devo riuscire». Ma era proprio cascata male.

Per il resto, c'era da segnalare che la nonna aveva ripreso a cucinare pranzi buonissimi. E il dolce? Forse, se non lo comprava, lo faceva il giorno prima, dato che i ragazzi non l'avevano mai più incontrata con pacchi di pasticceria in mano.

In più nonna Lena aveva cominciato anche a ritagliare dai giornali tutte le notizie sulle continue truffe agli anziani, e le faceva leggere ai ragazzi al momento dei compiti, invece del sussidiario.

Così, preparati come erano ora, qualcosa doveva pur succedere.

Restava Edoardo.

Ormai era un programma fisso. Andavano da lui ogni sabato prima del pranzo, anche se purtroppo suo padre, il poliziotto, non l'avevano più incontrato.

I tre ragazzini avevano cercato di tirar fuori qualche altro giochetto, perché sull'Orso Bu non sapevano più cosa inventarsi. Ed era inutile dare gomitate a Viola, che si spazientiva soltanto. – Insomma... mia zia da quando sono cresciuta non mi ha più raccontato niente.

Finché Mirko le disse: – Non sei capace d'inventare qualcosa tu?

Più facile a dirsi che a farsi. Però anche gli altri due in fondo un po' le davano una mano...

Questa era la situazione quando successe. Certe volte basta un attimo per cambiare la vita, e non sempre in meglio, pensò "dopo" Vincenzo, da vero filosofo.

La scena era stata questa.

Loro tre che salivano di corsa le scale come sempre, e la madre di Edoardo, Lorenzina, che apriva la porta.

Si era capito che Lorenzina non aveva aperto perché li aveva sentiti chiacchierare per le scale, ma semplicemente per ritirare dal pianerottolo il tappetino a forma di fungo. Forse lo voleva pulire...

Di Edoardo nessuna traccia. Era chiaro che non li aveva ancora sentiti, perché stava cantando qualcosa inventato da lui mentre correva per la casa.

Poi, all'improvviso, quel colpo.

Edoardo, per fare uno dei suoi soliti scherzi, aveva chiuso la porta di casa *da dentro* con un gran botto. E sua madre era rimasta fuori in grembiule e pantofole, e con quel ridicolo tappetino in mano.

– Oh, no! – prese a gridare Lorenzina. – Il bambino è rimasto chiuso in casa da solo! – e poco mancava che svenisse.

A quel grido venne fuori la nonna e già molti vicini arrivavano di corsa dagli altri piani.

– Cosa è successo? – chiesero tutti ansiosamente. – C'è un ladro?

– No, no – spiegò Lorenzina in lacrime. – Sono uscita sul pianerottolo solo un attimo per prendere il tappetino, e il bambino mi ha chiuso la porta alle spalle –. Poi, dopo un momento e piangendo ancora più forte, aggiunse: – Ci sono mille pericoli in casa. Ho lasciato una pentola sul fuoco e una finestra aperta...

– Non ha le chiavi? – chiese scioccamente una donna, e nonna Lena la fulminò con lo sguardo. Era talmente chiaro che non le aveva!

Intanto era salita la portinaia. – Telefoni a suo marito! – ordinò. – Io chiamo i pompieri.

La nonna porse in fretta il proprio cellulare a Lorenzina, ma alla fine dovette parlare lei perché la poverina era troppo confusa e non ci riusciva. Per fare prima aveva chiamato direttamente il 113. Sì, il padre di Edoardo sarebbe arrivato il più presto possibile, le riferirono subito, ma in quel momento si trovava in fondo alla via Cassia.

E i pompieri?

– Li ho chiamati e saranno qui tra un po', ma bisogna tener conto di tutti gli ingorghi che ci sono oggi in città... –. La voce della portinaia sembrava un po' incerta e preoccupata.

Lorenzina, intanto, aveva cominciato a chiamare suo figlio. – Edoardo! Edoardo! – gli diceva con il tono più calmo possibile. – Abbiamo fatto un bel gioco, non è vero? Hai vinto tu. Mi hai chiusa fuori. Guarda un po' se adesso riesci ad abbassare la maniglia della porta per farmi tornare dentro casa.

– Non ci arrivo! Non ci arrivo alla maniglia –. Si capiva che Edoardo non era affatto divertito. Anzi, dopo un po' lo si sentì anche piangere. – Mamma, vieni, apri con la chiave!

– La chiave non ce l'ho, ma adesso arriva papà con la sua. Tu però non ti muovere. Resta dove sei, attaccato alla porta, mi raccomando.

Intanto la voce si era sparsa e per le scale stava salendo un mucchio di gente. Chi dava consigli, chi voleva provare ad aprire con le proprie chiavi o con una lima, chi era andato a cercare un fabbro, dimenticandosi che il sabato l'officina restava chiusa... Insomma, una gran confusione.

– Mamma! – gridò a un certo punto Edoardo dall'altra parte. – Non mi va di restare qui dietro la porta, io vado a guardare dalla finestra se arriva papà.

– Nooo! – urlò Lorenzina disperata,

95

guardandosi attorno come per chiedere aiuto.

E, improvvisamente, si fecero avanti i tre ragazzi della III C. – Ci pensiamo noi – dissero, avvicinandosi alla porta.

– Edoardo! – chiamò Vincenzo a voce alta. – Devo darti una notizia, però devi venire molto vicino alla porta, se no non la puoi sentire proprio bene.

– Quale notizia? –. Si capiva che Edoardo si era incuriosito.

– È arrivato l'Orso Bu!

– È arrivato? E dov'è?

A questo punto fu la volta di Viola. – Sta venendo dritto da te, anzi, è vicinissimo… Ma tu devi fare tutto quello che dice lui, altrimenti non arriva.

– E cosa devo fare?

– Lui vuole essere accolto subito e ti vuole trovare vicino, vicinissimo, anzi, attaccato alla porta.

– Ma io non ci arrivo ad aprire. E mamma sta fuori!

– L'Orso Bu aprirà lui, cosa credi?

Per un po', in attesa dell'Orso Bu, Edoardo se ne restò tranquillo, ma dopo aver domandato un numero infinito di volte ad alta voce «quando arriva qui l'Orso Bu?» cominciò a piagnucolare.

– È quasi sotto casa, ma intanto ti ha mandato una sua fotografia. Stai attento, te la passiamo sotto la porta.

Questa volta era stato Mirko a prendere l'iniziativa. Aveva tirato fuori dal suo zainetto un foglio e la matita e aveva cominciato a fare il "ritratto" dell'Orso Bu. Mirko era il più bravo della classe in disegno. E mai come questa volta la sua "arte" si era mostrata così utile. Fece passare sotto la porta il primo foglio, mentre intanto preparava il terreno per dopo....

– Adesso ti darò anche le fotografie del papà e della mamma dell'Orso Bu, e dopo quelle di suo fratello e della sorellina piccola.

E, mentre Mirko continuava a disegnare con la rapidità di un fulmine, Vincenzo e Viola lo aiutarono con il "sonoro", inventandosi a turno le storie dei genitori e dei fratelli dell'Orso Bu.

Per le scale era calato il silenzio.

Tutti guardavano a bocca aperta quei tre ragazzini che riuscivano a tenere appiccicato alla porta un bambino in pericolo. Ma un po', magari, a qualcuno le storie dell'Orso Bu piacevano davvero.

Poi si udì la sirena dei pompieri.

– I pompieri! – gridò Edoardo, che li aveva sentiti per primo. – Vado a vederli alla finestra!

– Non puoi! Se vai via rovini tutto. È stato proprio l'Orso Bu a farsi accompagnare da loro per fare prima!

Intanto i pompieri stavano già salendo, seguiti dal codazzo di persone che gli correvano dietro. – Via, via, tornatevene a casa! – gridavano. – Lasciateci lavorare tranquilli.

Poi arrivarono alla porta. – Come si chiama il bambino? E in quale punto della casa si trova?

– Si chiama Edoardo e questi ragazzini sono riusciti a non farlo allontanare dalla porta. Gli hanno raccontato che stava per arrivare un certo Orso Bu...

Il capo dei vigili del fuoco si rivolse ai tre della banda. – Bravi! Proprio bravi – disse. Poi armeggiò un poco facendo scorrere su e giù una specie di lastra di plastica nella fessura della porta vicina alla serratura. E… *zac*, la porta si aprì.

Edoardo guardò i vigili del fuoco e per prima cosa domandò: – Dov'è l'Orso Bu? –. Subito dopo, però, corse piangendo in braccio a sua madre.

Lorenzina ringraziò e abbracciò il caposquadra che aveva aperto la porta, e poi, rivolta a tutti gridò: – Guardate questi tre ragazzini. Sono loro gli eroi di questa terribile avventura!

Una conclusione con tante conclusioni

– **B**RAVI! BRAVI! –. Nel frattempo avevano cominciato a complimentarsi e a battere le mani anche tante persone che da là, in fondo alle scale, non avevano capito bene che cosa fosse successo.

– Pare che un ragazzino che abita sullo stesso piano abbia scavalcato il balcone e sia entrato dalla finestra nell'appartamento vicino – stava già raccontando qualcuno.

– Ma no, là ci vive solo una vecchia maestra – rispondeva chi era assolutamente convinto di saperne di più.

Poi tutti ammutolirono.

Si era sentito il suono di un'altra sirena.

– La polizia! Sta arrivando la polizia. Allora c'era un ladro... forse un assassino! – si sentiva mormorare.

– Ma no –. Questa volta era intervenuta con autorità la portinaia. – Uno di quei due poliziotti è il padre del bambino.

Infatti Antonio, in divisa da poliziotto, stava salendo i gradini a quattro a quattro, ma all'improvviso si fermò.

Suo figlio era lì, sano e salvo, in braccio alla madre.

– Grazie, grazie – disse emozionato, quando vide i vigili del fuoco. Ma la moglie Lorenzina gli tirò la giacca e gli indicò gli "eroi" della III C.

– Ah, ragazzi, ci siete anche voi... – cominciò a dire Antonio, quando Lorenzina lo interruppe: – Sono stati loro a salvare nostro figlio!

Insomma, fra vigili del fuoco, "eroi ragazzini" e la gente che premeva perché voleva capirci qualcosa, la confusione era totale.

Nonna Lena, invece, non si muoveva dal pianerottolo. Si sentiva abbastanza protagonista anche lei. Dopo tutto, Vincenzo era suo nipote e gli altri due lo erano quasi, visto che si trovavano così spesso a casa sua.

Vincenzo e i suoi amici avevano fatto un passo indietro. Era un po' imbarazzante, insomma, esagerato, sentirsi chiamare "eroi" per aver semplicemente raccontato una storia. Loro avrebbero voluto fare ben altro...

«Lasciamoli chiacchierare fra loro» si comunicarono a gesti, e guardarono da un'altra parte.

Proprio così. Avevano guardato da un'altra parte e perciò *la* videro.

Lei, la signora dai capelli mezzi rossi e mezzi marrone, con la borsa da postino a tracolla. Anche lei aveva voluto curiosare?

Forse no.

Perché stava uscendo veloce dalla casa di nonna Lena (la cui porta era logicamente rimasta sempre aperta per tutto il tempo)? E perché la borsa da postino era così gonfia? A guardare bene a Vincenzo sembrò che dall'angolo del borsone spuntasse appena un braccio del candeliere d'argento che, come spiegava sempre, nonna Lena aveva ricevuto in regalo nel giorno del suo matrimonio. «Un candeliere prezioso, fatto in Inghilterra almeno un secolo fa» ripeteva spesso ai nipoti o a chi la stava a sentire.

Ecco, ora la donna dal borsone credeva proprio di avercela fatta. La "postina" probabilmente era ormai sicura di essere riuscita a "sconfiggere" nonna Lena.

Ma non aveva fatto i conti con la banda della III C! Loro non si facevano distrarre da un po' di confusione.

Vincenzo e compagni si precipitarono a rincorrere la "postina" che già stava scendendo veloce gli scalini.

– Signora, scusi, può fermarsi un minuto? – le gridò Mirko, forse con un po' troppa educazione.

I ladri a questo tono educato non devono essere abituati e forse per questo la donna con la borsa da postina gli rispose sbraitando: – Non ci penso nemmeno! Ho una gran fretta, e voi non state a scocciarmi, altrimenti ci penso io!

Ma i tre ragazzini l'avevano già superata e, prendendosi per mano, avevano creato una specie di barriera, uno sbarramento che le impediva di proseguire la discesa.

– Signor poliziotto Antonio! – gridò a quel punto Vincenzo. – Può venire un attimo da noi?

Antonio scese a precipizio e Vincenzo balbettò concitato: – Questa signora l'ho vista uscire da casa di mia nonna e... mi sembra... cioè, insomma, dalla sua borsa spunta un candeliere... È uno dei candelieri che erano stati regalati alla nonna per il suo matrimonio...

Il poliziotto Antonio chiese allora alla donna, che nel frattempo era diventata livida, di aprire la borsa. Lei provò a dire di nuovo: – Non ci penso nemmeno – ma Antonio la convinse subito. – Se ha preso qualcosa in quella casa e renderà subito tutto alla proprietaria, la sua posizione dopo sarà meno grave. Magari la signora non sporgerà nemmeno denuncia... Io le consiglio proprio di farlo.

La "postina" ci pensò su un momento, poi sbuffò e alla fine mormorò: – Era solo uno scherzo.

Quindi consegnò ad Antonio con gesto sgarbato due candelieri e un piatto di metallo, che forse non era nemmeno di vero argento. – Glieli restituisca lei a quella là, io non la voglio vedere! – gli gridò.

Infine, seguì il collega di Antonio che si era fatto avanti per accompagnarla al commissariato. – Venga con me – disse lui. – Dobbiamo andare a fare il verbale –. E mentre la gente si scostava al loro passaggio, la condusse via.

Troppe emozioni in un giorno solo.

Nonna Lena a questo punto era senza fiato. – Che sciocca sono stata! – non la smetteva di dire. Tutta presa (e certo giustamente) dal piccolo Edoardo in pericolo, e ancora emozionata per l'impresa gloriosa dei suoi "nipoti", eccola lì a dimenticarsi di stare attenta alla porta di casa, che era rimasta spalancata per tutto il tempo.

Non fosse stato ancora una volta per merito della banda della III C, la nonna non avrebbe più visto ogni giorno in salotto, come era abituata ormai da tantissimo tempo, i due candelieri antichi che avevano abbellito il tavolo della sala da pranzo per oltre mezzo secolo!

In più, incrociando per strada la donna dai capelli di due colori, che da un bel pezzo stava cercando d'incastrarla, non avrebbe più potuto inviarle il suo silenzioso messaggio di sfida: «Guarda che io sono più furba di te!».

– Che le faranno? – domandò alla fine ad Antonio, appena un po' dispiaciuta per quello che sarebbe capitato alla sua "rivale". – Andrà a finire in prigione?

– Non lo so – rispose il poliziotto. – Lo deciderà il giudice che dovrà valutare tante cose. È stata colta sul fatto e quindi la pratica dovrà per forza andare avanti, ma visto che lei non intende sporgere denuncia...

– Ma io i miei candelieri li ho riavuti subito... Che bisogno c'è di fare una denuncia? –. Nonna Lena stava scuotendo la testa, come ragionando tra sé.

«Del resto, decideranno quelli della Legge...»

Pian piano la gente se ne stava andando, liberando le scale e l'atrio del palazzo.

Due "avvenimenti" in una sola giornata! Il pubblico era stato ben nutrito da un pasto più che abbondante!

Adesso sul pianerottolo erano rimasti solo i vigili del fuoco.

Ma Edoardo, dopo aver abbracciato mille volte prima sua madre e poi suo padre, si era improvvisamente calmato.

E allora gli era tornato tutto in mente.

– Dov'è l'Orso Bu? – domandò molto seriamente a Viola.

Lei guardò gli amici e loro le restituirono lo sguardo. Questa volta non sapevano proprio cosa rispondere.

Ma il comandante dei pompieri doveva essere proprio intelligente. Insomma, dalle poche battute intercettate e da quello che si era fatto rapidamente raccontare, aveva capito quasi tutto.

– L'Orso Bu sono io – annunciò in tono solenne. – Non te n'eri accorto?

– Come sei tu? –. Edoardo lo squadrò sospettoso. – Non sei mica un orso tu!

– Non ti hanno raccontato che l'Orso Bu arriva quando c'è qualcuno in pericolo? –. E, mentre Edoardo faceva segno di "sì" con la testa, il pompiere proseguì: – Bene, per aiutare la gente bisogna trasformarsi a seconda di come serve di più. Io, per aiutare te, dovevo trasformarmi in vigile del fuoco. Hai capito ora?

Sì, forse il bambino per capire aveva capito, ma ancora non sembrava proprio convinto. – Ma adesso torni orso? – volle sapere.

– Non subito. Ci sono tanti bambini che fanno cose pericolose e hanno bisogno di essere aiutati. Io come vigile del fuoco ci riesco meglio.

Edoardo continuava a fissarlo e si capiva che cercava di seguire un ragionamento. – Dove abiti tu adesso?

– In un camion rosso con una scaletta che può diventare alta fino al cielo. La vuoi vedere?

Certo che la voleva vedere! Edoardo scese le scale in braccio a suo padre, e poi salì sul camion rosso con la scaletta.

Non aveva mai visto una cosa così meravigliosa. Non sarebbe voluto scendere più.

Però, alla fine, fu convinto a obbedire da suo padre, che lo trascinò via con molte promesse.

Quando fu il momento di salutare il comandante dei pompieri, gli gridò: – Ciao, Orso Bu!

E il vigile del fuoco gli fece un grande saluto con la mano. Aveva risposto, allora era davvero l'Orso Bu!

C'è qualcosa che magari vogliamo ancora sapere.

La banda della III C.

Ora che si erano conquistati il titolo di "eroi", anche se in tutt'altro modo da quello che si erano immaginati (benché, in fondo, la "postina" l'avessero fatta prendere loro!), avevano o no intenzione di continuare?

La risposta fu "sì".

Anche perché fu proprio nonna Lena ad affermare che mai e poi mai avrebbe rinunciato ad averli a pranzo il sabato. Aveva ancora tanti piatti da cucinargli...

E poi chi li avrebbe aiutati con i compiti? Ma quello che la rendeva più convinta era il loro mestiere di *detective*.

Non era proprio il caso di smettere.

– Anzi, – disse nonna Lena. – Vi aiuterò io.

114

I ragazzi si guardarono un po' pre-occupati. Magari era solo una di quel-le frasi che si dicono nel momento dell'entusiasmo.

E, per finire, c'è un'altra novità a rendere questa conclusione ancora più "conclusione".

Un giorno Mirko confidò a Vincenzo che si era innamorato di una ragazzi-na di nome Cinzia che andava a nuoto con lui.

– Allora… Viola non t'interessa più – balbettò Vincenzo.

– Solo come amica e come collega della banda della III C. E poi io lo so che Viola piace a te da sempre.

Davvero? A Vincenzo non era mai sembrato che Mirko la pensasse così. Sì, Mirko sapeva benissimo che a lui Viola piaceva, ma aveva sempre di-chiarato «piace anche a me, e perciò non provarci nemmeno a farti avanti».

Ma adesso? Beh, se adesso le cose stavano davvero in un altro modo, c'era solo da festeggiare!

Non avrebbero più passato il tempo a spiarsi per paura che uno cercasse di attirare l'attenzione di Viola più dell'altro!

Ora Vincenzo avrebbe potuto chiedere un'altra volta alla sua amica: «Ti hanno chiamato Viola perché hai gli occhi viola?» senza che Mirko ridesse di lui. E avrebbe potuto continuare a rimirare in santa pace il sentiero di luce che la bellissima Viola lasciava dietro di sé quando camminava.

Indice

1. *Perché una "banda"* 5
2. *Salvare i vecchietti?* 11
3. *Il piano di Vincenzo* 21
4. *Un "fortunato" incontro*
   per le scale 31
5. *La "banda" fa le prime mosse* .. 41
6. *Pericoli e sorprese* 53
7. *Finalmente l'avventura?* 63
8. *Faccia a faccia* 73
9. *Il "dopo"* 83
10. *Come si diventa eroi* 89

   Una conclusione con tante
   conclusioni 103

Chi è Lia Levi?

Quando ero piccola leggevo talmente tanti libri che mi è venuta un'idea: «Quasi quasi ne scrivo uno anche io» mi sono detta. Ho capito però che era meglio rimandare il progetto a un'età un po' più "cresciuta", ma per essere sicura di non dimenticarlo ho scritto una lettera a me stessa grande. Insomma, mi sono fatta una raccomandazione: «Non dimenticare» mi dicevo «che dovrai fare la scrittrice». Questa lettera la conservo ancora.

Invece per un po' me la sono dimenticata. C'era la guerra, e io come bambina ebrea ho vissuto l'esperienza delle persecuzioni contro gli ebrei, prima con il fascismo, che mi ha cacciata da scuola, poi con l'arrivo dei tedeschi in Italia e il pericolo di essere arrestata e portata via. Mi sono salvata con le mie due sorelle più piccole in un collegio di suore, e anche i miei genitori, per fortuna, si sono salvati.

Quando la guerra è finita e tutto è tornato normale, ho proseguito gli studi, finalmente in una scuola pubblica. Una volta all'università mi sono laureata in filosofia.

Lia (la prima a destra)
a otto anni con le sorelle

Come lavoro ho scelto il giornalismo. Si trattava sempre di scrittura, ma di una scrittura ben diversa, sempre in mezzo alla gente e ai fatti che accadevano.

È stato divertente, ma il desiderio di provare con un romanzo l'avevo sempre dentro.

Finalmente un giorno, quando ero già abbastanza avanti con gli anni, ci ho provato. Come? Scrivendo proprio tutta la storia di quello che mi era capitato da bambina con la

Lia Levi

guerra e tutto il resto. Questa storia è piaciuta e l'hanno letta tante persone. Non era nato come libro per ragazzi ma lo è diventato da solo, dato che si è diffuso molto nelle scuole.

È stato così che ho cominciato a fare tanti incontri con gli studenti che lo avevano letto, e a discuterne con loro. È stato molto bello. Per questo ho deciso di continuare. Accanto ai libri per adulti ho cominciato a scrivere quelli destinati a bambini e ragazzi, e da allora non ho più smesso.

Il giornalismo l'ho proprio messo da parte e devo dire che non lo rimpiango. Scrivere libri è molto più emozionante. Avevo avuto ragione da bambina.

Lia Levi

Chi è Barbara Bongini?

Barbara da piccola

Quando ero piccola mi piacevano tanto i libri, ma soprattutto ne guardavo affascinata le figure.

Crescendo non ho perso questo vizio, anzi ho deciso di farne il mio lavoro: disegnare libri per ragazzi. Ho impostato tutti i miei studi in funzione di questa mia passione e ho conosciuto tanti sognatori come me che sono diventati miei amici.

Quando ci incontriamo per un bel pranzetto, spesso finiamo a parlare di gatti parlanti, maghi e castelli incantati dove ci piacerebbe abitare e ci lamentiamo del fatto che non esistono le bacchette magiche per rendere tutto più bello.

Ma nei libri si può fare qualunque cosa, è questa la loro magia e così tra un colpo di matita, uno di pennello e un clic di mouse, posso vivere fantastiche avventure in posti incantati!

Barbara Bongini

Della stessa autrice puoi leggere anche:

Lia Levi
Il ritorno della banda della III C

Omar, il compagno di banco senegalese di Vincenzo, è appena entrato a far parte della banda della III C e già c'è un nuovo caso da risolvere: la piccola Carlotta, è scomparsa nel nulla. Da dove cominciare le ricerche? Sarà proprio una brillante intuizione di Omar a mettere la banda sulla pista giusta.

Ti è piaciuto questo libro?
Allora puoi leggere anche:

Roberta Grazzani

Nonno Tano e la casa delle streghe

Sulla collina dietro quella di Nonno Tano c'è un'antica casa nascosta tra le rocce e i cespugli. La bisnonna Santina ha raccontato a Paolo, Elisa e Sara che lì abitano delle streghe un po' strane, che cucinano dolci buonissimi e cantano tutto il giorno. Sarà vero? I tre nipotini decidono di scoprirlo...

Emanuela Nava
Nessuno è perfetto!

La Signora Perlupario non sa più cosa fare: suo figlio Desiderio si butta nelle pozzanghere, si mette le dita nel naso e imbratta tutti i muri... Non c'è altra soluzione: bisogna riportarlo alla Fabbrica dei Bambini e sostituirlo con un ragazzino bello e biondo come quelli della pubblicità.

Christine Nöstlinger

Cara nonna, la tua Susi

Quest'anno Susi passerà le vacanze estive su un'isola greca con il suo inseparabile amico Paul. Issopyxos è un'isola meravigliosa e Susi si fa molti nuovi amici, peccato che Paul sembri avere occhi solo per quell'antipatica di Anita...